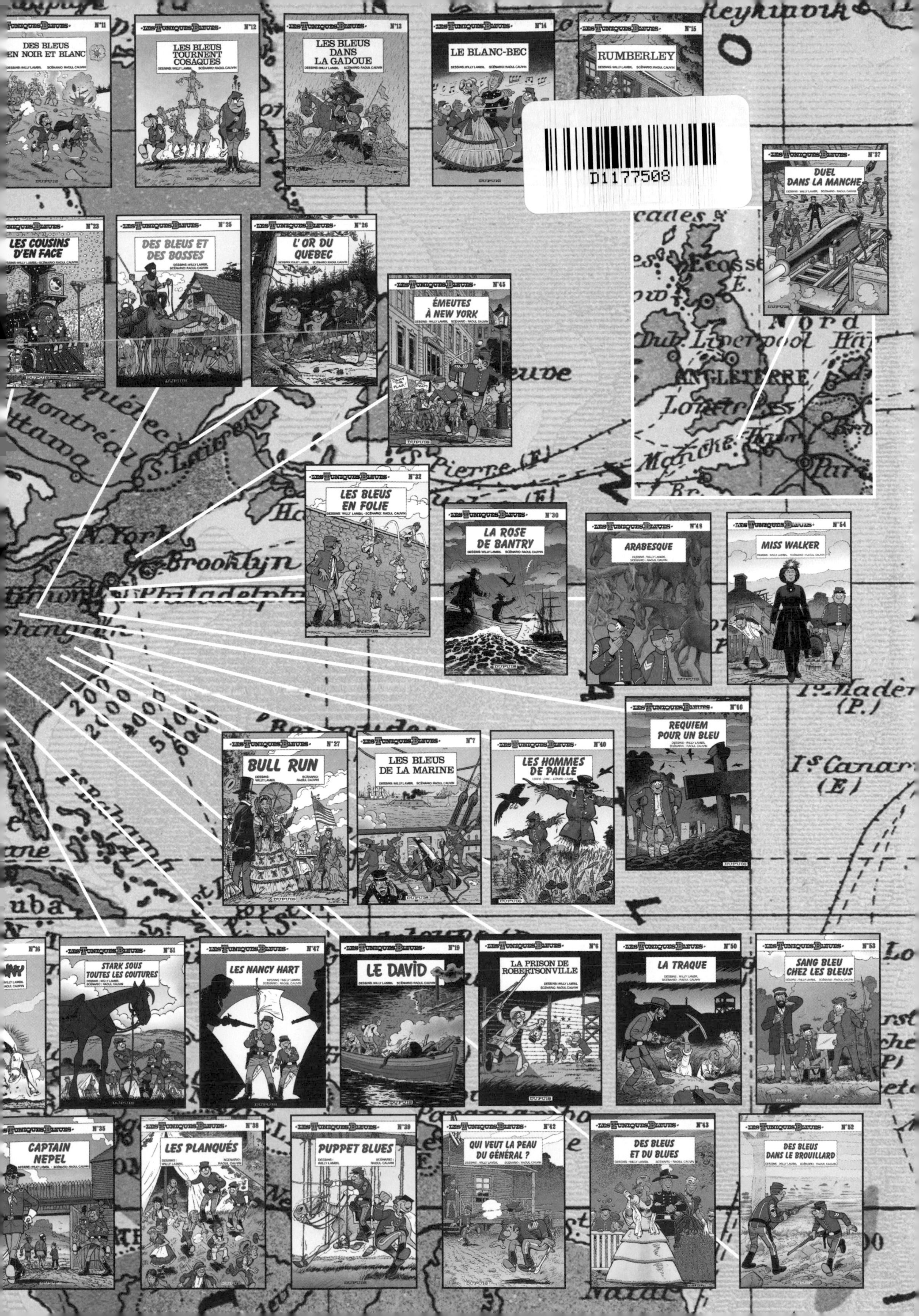

DES BLEUS EN NOIR ET BLANC
N°12 LES BLEUS TOURNENT COSAQUES
N°13 LES BLEUS DANS LA GADOUE
N°14 LE BLANC-BEC
N°15 RUMBERLEY
D1177508
N°37 DUEL DANS LA MANCHE
N°23 LES COUSINS D'EN FACE
N°25 DES BLEUS ET DES BOSSES
N°26 L'OR DU QUEBEC
N°45 ÉMEUTES À NEW YORK
N°32 LES BLEUS EN FOLIE
N°30 LA ROSE DE BANTRY
N°49 ARABESQUE
N°54 MISS WALKER
N°46 REQUIEM POUR UN BLEU
N°27 BULL RUN
N°7 LES BLEUS DE LA MARINE
N°40 LES HOMMES DE PAILLE
N°51 STARK SOUS TOUTES LES COUTURES
N°47 LES NANCY HART
N°19 LE DAVID
N°6 LA PRISON DE ROBERTSONVILLE
N°50 LA TRAQUE
N°53 SANG BLEU CHEZ LES BLEUS
N°35 CAPTAIN NEPEL
N°38 LES PLANQUÉS
N°39 PUPPET BLUES
N°42 QUI VEUT LA PEAU DU GÉNÉRAL ?
N°43 DES BLEUS ET DU BLUES
N°52 DES BLEUS DANS LE BROUILLARD
Écosse
Liverpool
ANGLETERRE
Manche
Montréal
Brooklyn
Cuba

«LES TUNIQUES BLEUES»

LES CAVALIERS DU CIEL

DESSINS : WILLY LAMBIL SCÉNARIO : RAOUL CAUVIN

DUPUIS

www.lestuniquesbleues.com

D.1984/0089/185— R.1/2012.
ISBN 978-2-8001-0865-0 — ISSN 0772-0718

Imprimé en Belgique par Lesaffre.

Cet album a été imprimé sur papier issu de forêts gérées de manière durable et équitable.

www.dupuis.com

EXCUSEZ-MOI... JE CHERCHE LE CAPORAL BLUTCH DU VINGT-DEUXIÈME DE CAVALERIE... ÇA VOUS DIT QUELQUE CHOSE?...

BLUTCH... OUAIS! VOYEZ LES CAS DÉSESPÉRÉS... DANS LA GRANGE AU FOND DE LA COUR, À GAUCHE...
M... MERCI...

OH! LE PAUVRE VIEUX!
US ARMY
AMBU
1A

BLUTCH!
CHHHT...
RÂÂÂ HÂÂÂ

C'EST... C'EST GRAVE?...
BEN... VOYEZ VOUS-MÊME, SERGENT! IL SOUFFRE ÉNORMÉMENT! ÇA FAIT PEINE À VOIR!
HOULOULOULOU LOULOULOU RÂÂÂ.....

VOUS... VOUS POUVEZ ME LAISSER SEUL AVEC LUI?...
O.K.! MAIS PAS TROP LONGTEMPS! IL EST À BOUT DE FORCE!
1B

BLUTCH! EH, BLUTCH... RE... HM... JE...
SE...SERGENT! AAAH... ÇA C'EST G...GEN... GENTIL!... Y FA... Y FALLAIT PAS!

DU MOINS, PAS MAINTENANT... C'EST... RÂÂÂ... C'EST ENCORE UN PEU TÔT!
QU'EST-CE QUE VOUS VOULEZ DIRE?...

P...PROMETTEZ-MOI UNE CHOSE, SERGENT! VOUS... VOUS LES DÉPOSEREZ SUR MA TOMBE SITÔT QUE... QUE...
BLUTCH! TAISEZ-VOUS, ESPÈCE D'IDIOT!

HAAAAAAA...
INFIRMIER!

IL S'EST ÉVANOUI! IL VAUT MIEUX ARRÊTER LÀ VOTRE ENTRETIEN, SERGENT!...
PAUVRE VIEUX!
2A.

COMMENT EST-CE ARRIVÉ?...
...BÊTEMENT, COMME TOUJOURS!... NOUS CHARGIONS LES SUDISTES, QUAND SOUDAIN JE L'AI VU PORTER LES MAINS À LA TÊTE ET IL EST TOMBÉ DE CHEVAL!

OUAIS! LE COUP CLASSIQUE! UNE BALLE EN PLEINE TÊTE!... ÇA NE PARDONNE PAS!... VOUS L'AIMIEZ BIEN, HEIN?...
COMME UN FILS!

EH MAIS!?... MAIS...

DITES-MOI, BLUTCH... LA DERNIÈRE FOIS QUE JE VOUS AI VU, VOUS ÉTIEZ BLESSÉ À LA TÊTE...
TIENS?... MON PANSEMENT A ENCORE GLISSÉ... HÉ HÉ HÉ...
TAP TAP TAP
2B.

DIS-MOI, INFIRMIER À LA GOMME, COMBIEN T'A-T-IL PAYÉ POUR ME FAIRE CROIRE À TOUTES CES BALIVERNES?
ARG... NE SERREZ PAS SI FORT... AAARG... DIX... DIX DOLLARS!...

PAF
VOYONS... CALMEZ-VOUS, SERGENT!

TANTOT VOUS M'APPORTIEZ DES FLEURS, ET MAINTENANT VOUS VOUS METTEZ À HURLER!... FAUDRAIT SAVOIR, TOUT DE MÊME!...
JE NE LES AURAI PAS APPORTÉES POUR RIEN! VOUS ALLEZ LES MANGER!

...ET SI JE REFUSE?...
ESSAYEZ! ESSAYEZ, ET JE...
CLICK
ÇA VA! NE TIREZ PAS!... AVEC DES ARGUMENTS PAREILS, JE MANGERAIS MON CHEVAL ET MA SELLE!...
3A

...ET TU CROIS VRAIMENT QU'IL AURAIT TIRÉ?...
HIPS... ON VOIT BIEN QUE VOUS NE LE CONNAISSEZ PAS!...

UN PEU PLUS TARD...
BRRR... C'EST TERRIBLE DE SENTIR SUR SON PETIT DOS FRÊLE ET SQUELETTIQUE LE REGARD PESANT ET LOURD DE SON GROS SERGENT BOUDEUR!
NE ME POUSSEZ PAS À BOUT, BLUTCH! SI L'ARMÉE N'AVAIT PAS BESOIN DE VOTRE BÊTE CARCASSE, JE L'OFFRIRAIS VOLONTIERS AUX VAUTOURS!

...QUITTE À LEUR DONNER UNE INDIGESTION MAISON!...
AU MOINS, ILS EN RÉCHAPPERAIENT ENCORE, TANDIS QU'AVEC LA VÔTRE... YEK YEK YEK...
CLICK
3B

BEAUCOUP PLUS TARD...
SERGENT CHESTERFIELD, MON CAPITAINE! JE VOUS SIGNALE QUE JE SUIS REVENU DE PERMISSION ET QUE JE SUIS À VOTRE ENTIÈRE DISPOSITION!
HEUREUX DE VOUS REVOIR, SERGENT!... À PROPOS, COMMENT VA VOTRE AMI, LE CAPORAL BLUTCH?...
CLAC

C'EST UN CAS DÉSESPÉRÉ, MON CAPITAINE ..... EUH... POUR L'ARMÉE!
JE NE VOUS COMPRENDS PAS!

SAUF VOTRE RESPECT, MON CAPITAINE... C'EST DIFFICILE À COMPRENDRE! IL FAUT L'AVOIR VÉCU!
IL EST TOUJOURS À L'HÔPITAL?...

NON, MON CAPITAINE! IL EST REVENU AVEC MOI ET SE TIENT LUI AUSSI À VOTRE DISPOSITION...
EUH... AH? BIEN, PARFAIT!

NOUS VOILÀ DONC TROIS!... PAAARFAIT! NOUS POUVONS DONC Y ALLER!
ALLER OÙ, MON CAPITAINE?...
MAIS CHARGER, MON AMI, CHARGER!
4A.

MAIS... ET LES AUTRES?
QUELS AUTRES?!... HO! LE RESTE DE LA CAVALERIE... MORTS, BLESSÉS, PRISONNIERS, DISPARUS, JE NE SAIS PAS, MOI... AVANT VOTRE ARRIVÉE, J'ÉTAIS SEUL, TOUT SEUL... ET VOUS SAVEZ COMME J'AI HORREUR DE CHARGER SEUL!... J'AIME LES HOMMES QUI TOMBENT AUTOUR DE MOI ET LES CHEVAUX QUI CULBUTENT DANS LA POUSSIÈRE!... ÇA ME STIMULE!...

ALLONS, SERGENT, EN SELLE, EN SELLE! NOUS PERDONS DU TEMPS!...
EUH... ÉCOUTEZ, MON CAPITAINE... BLUTCH EST ENCORE EN CONVALESCENCE... VOUS NE TROUVEZ PAS QUE... TOUT DE SUITE... COMME ÇA?

CHAAARGEZ...
JE VOUS JURE, BLUTCH, QUE J'AI FAIT TOUT CE QUI ÉTAIT EN MON POUVOIR POUR...
OH! ÇA VA, SERGENT! NE VOUS CASSEZ PAS LA NÉNETTE! VOUS VOUS ATTENDIEZ À AUTRE CHOSE AVEC UN TEL ZIGOTO?...
4B.

HÎÎÎÎÎÎÎÎÎ
?!

AH NON! VOUS N'ALLEZ PAS RECOMMENCER VOTRE MANÈGE !!...
CETTE FOIS, JE N'Y SUIS POUR RIEN, SERGENT, C'EST MON CHEVAL !

CHARGEZ, SACRÉ BON SANG! CHARGEZ!...
QUOI ?!... À DEUX ?...
ALLEZ-Y, SERGENT! JE VOUS SUIVRAI À PIED !

HÎHÎÎÎ ?
CHHHT! COUCOUCHE! TU VAS NOUS FAIRE REPÉRER!

POUR UNE FOIS, JE DOIS BIEN AVOUER QUE LA CHANCE EST AVEC LUI !...

CHAAARGEEZ!
PRENEZ-LES VIVANTS! C'EST UN ORDRE!...

ÇA DEVAIT FINIR COMME ÇA !
À MOI ! CHARGEEZ ! À MOI !

JE NE PEUX PLUS RIEN POUR LUI !... SI JE M'EN SORS VIVANT, CETTE FOIS, J'EMBRASSE BLUTCH SUR LES DOIGTS DE PIED, J'EN DONNE MA PAROLE !

SSSSSS
BAOM
?!
6A.

MALÉDICTION ! IL S'ÉCHAPPE !
J'AI L'IMPRESSION QUE NOUS AVONS UN PRISONNIER DE CHOIX !... EMMENEZ-LE À L'ÉTAT-MAJOR !
CHAAR MMFFF

EN ARRIÈRE, BLUTCH ! EN ARRIÈRE !... NOUS SOMMES TOMBÉS SUR UN OS ! ILS ONT CAPTURÉ STARK !
HA ?!

??
QUELQUE CHOSE NE VA PAS, SERGENT ?...
6B.

VOTRE CHEVAL?...
QUOI, MON CHEVAL?...

AH! OUI... EH BIEN, VOILÀ... JE CROIS QU'IL A ATTRAPÉ UNE PETITE SYNCOPE... EH EH... IL S'EST REMIS SUR PATTES DÈS VOTRE DÉPART... J'ALLAIS JUSTEMENT VOUS REJOINDRE... HÉ HÉ HÉ... VOILÀ, VOILÀ.
VOILÀ VOILÀ VOILÀ

BLUTCH, ENLEVEZ VOTRE BOTTE!...
HEIN?

J'AI DIT: ENLEVEZ VOTRE BOTTE! NE DISCUTEZ PAS!
BON!

?
?
?
7A.

VOILÀ...
DONNEZ-MOI VOTRE PIED!

PARDON?...
DONNEZ-MOI VOTRE PIED!

DITES, SERGENT... VOUS VOUS SENTEZ BIEN?...
SMACK

ON NE PEUT MIEUX, BLUTCH!
PAF

POUR VOTRE GOUVERNE, APPRENEZ QUE JE VIENS À LA FOIS DE M'ACQUITTER D'UNE PAROLE STUPIDE ET DE PUNIR UN LACHE QUI A ÉTÉ JUSQU'À CORROMPRE SON PROPRE CHEVAL!
D'ACCORD POUR LE CHEVAL, MAIS POUR LE RESTE?... OH! ET PUIS ZUT!
7B.

PEU APRÈS...
MESSIEURS, L'HEURE EST GRAVE! NOTRE CAVALERIE EST ENTIÈREMENT DÉCIMÉE ET LE CAPITAINE STARK EST TOMBÉ ENTRE LES MAINS DE L'ENNEMI !...
NE SOYONS PAS PESSIMISTES!

DÉSORMAIS, IL FAUDRA SIMPLEMENT NOUS PASSER DE LA CAVALERIE ET CONCENTRER NOS EFFORTS SUR NOTRE INFANTERIE ET NOTRE ARTILLERIE...
...MAIS LEUR CAVALERIE RISQUE À TOUT MOMENT DE NOUS TOMBER DESSUS!
...ET DE CONTRE-CARRER NOS PROJETS!

NOUS AVONS DE QUOI LES RECEVOIR!... À QUOI SERVENT VOS CANONS, MONSIEUR?
À CONDITION DE SAVOIR DE QUEL CÔTÉ LES DIRIGER!

LE COLONEL ARGUSSON A ENTIÈREMENT RAISON! N'OUBLIONS PAS QUE L'EXTRÊME MOBILITÉ D'UNE CAVALERIE LUI PERMET DE FONDRE SUR L'ENNEMI OÙ ELLE VEUT ET QUAND ELLE VEUT!

LE TEMPS DE RETOURNER NOS PIÈCES, ET NOUS SERONS PIÉTINÉS, EMBROCHÉS, ÉCRASÉS!
AH! PARDON! L'INFANTERIE INTERVIENDRA!
U.S.
8A

S'ILS ARRIVENT À TEMPS!... JUSQU'ICI, UN BATAILLON D'INFANTERIE N'A JAMAIS BATTU UN CHEVAL À LA COURSE, QUE JE SACHE!

MESSIEURS, L'HEURE EST GRAVE!
SI LE CAPITAINE STARK PARLE, LES CONFÉDÉRÉS NE TARDERONT PAS À NOUS TOMBER DESSUS!
... ET À NOUS ÉCRASER...
...COMME DES MOUCHES!

À MOINS QUE...
À MOINS QUE...?

SI NOUS POUVIONS PRÉVOIR LES MOUVEMENTS DE TROUPE DE L'ENNEMI, NOUS POURRIONS PARER À LEURS ATTAQUES... N'OUBLIEZ PAS QUE NOUS RESTONS SUPÉRIEURS EN NOMBRE...
OUI, MAIS COMMENT?...

EN PLAÇANT DES OBSERVATEURS QUI SURVEILLERAIENT LES MOINDRES ALLÉES ET VENUES DES SUDISTES!
HÉLAS! ON Y A DÉJÀ PENSÉ! ILS SE SONT FAIT ABATTRE LES UNS APRÈS LES AUTRES!
8B

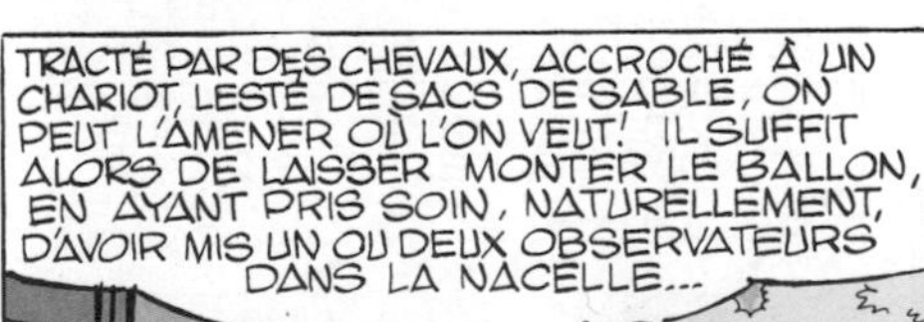

CEUX-CI AURONT DÈS LORS UNE VUE D'ENSEMBLE DU CHAMP DE BATAILLE, ET QUOI QUE FASSE L'ENNEMI, IL NE PASSERA PAS INAPERÇU !

BRAVO !

CLAP CLAP CLAP

DITES-MOI, ELIOT... QUI SONT CES DEUX-LÀ?...
MMMM?...

OH! ÇA?... C'EST TOUT CE QUI RESTE DE LA CAVALERIE...
AH? CE N'EST VRAIMENT PAS GRAND-CHOSE! TÂCHEZ DE LES CONVAINCRE DE CHANGER DE POSTE!

CE NE SERA PAS FACILE, MAIS JE VEUX BIEN ESSAYER!... À LA RIGUEUR, JE LEUR EN INTIMERAI L'ORDRE FORMEL ET MILITAIRE!
PARFAIT, MAIS POUR L'AMOUR DE DIEU, FAITES VITE! LE TEMPS PRESSE!

PSSST, ENVOYEZ CES DEUX CAVALIERS SOUS MA TENTE! J'AI À LEUR PARLER!
À VOS ORDRES, MON COLONEL!

...ET BIENTÔT...
LE SERGENT CHESTERFIELD ET LE CAPORAL BLUTCH, MON COLONEL...
FAITES ENTRER!
10A

MESSIEURS, PERMETTEZ-MOI D'ABORD DE M'INCLINER DEVANT TANT DE BRAVOURE, TANT DE COURAGE ET TANT D'ABNÉGATION!
?
C'EST À NOUS QU'IL EN A?...

VOUS ÊTES LES MALHEUREUX RESTES DE NOTRE HÉROÏQUE, MAIS, HÉLAS! DÉFUNTE CAVALERIE! AUSSI LE GÉNÉRAL PUMPKIN A-T-IL DÉCIDÉ DE VOUS CONFIER UN POSTE BEAUCOUP PLUS ÉLEVÉ!
OH! QUE JE N'AIME PAS ÇA!
LA FERME, IDIOT!

DE PLUS, VOUS JOUIREZ D'UN AIR VIVIFIANT... FINI L'ODEUR ÂCRE DE LA POUDRE ET DU SANG... VOUS PLANEREZ AU-DESSUS DE TOUT ÇA!
SERGENT, QUELQUE CHOSE ME DIT QUE ÇA A L'AIR TROP BEAU POUR ÊTRE VRAI!
BLUTCH, VOTRE PESSIMISME M'ÉCOEURE!

VOICI VOTRE NOUVELLE AFFECTATION! SIGNEZ LÀ, ET VOUS VOUS ENVOLEREZ VERS VOTRE DESTIN!
UNE PLUME, MON COLONEL!
J'HÉSITE... JE ME TÂTE!

ALLONS, ALLONS, BLUTCH! ON VOUS PROPOSE DE MONTER EN GRADE, ET VOUS HÉSITEZ!
LÀ, POUR MONTER, VOUS MONTEREZ! VOUS AVEZ MA PAROLE!
DANS CE CAS!
10B

JE VOUS L'AVAIS BIEN DIT! JE VOUS L'AVAIS BIEN DIT!
ON A ÉTÉ EUS!

IL N'Y A PAS DE RAISON DE VOUS INQUIÉTER, VOYONS! ET PUIS, NE PENSEZ PLUS À CETTE CHÈVRE QUI NOUS A SERVI DE COBAYE! C'EST PARCE QU'ELLE A SAUTÉ DE TRENTE MÈTRES QU'ELLE S'EST BRISÉ LES PATTES!

ET MAINTENANT, JE VOUS AVERTIS... SI VOUS SAUTEZ ENCORE EN BAS DE LA NACELLE, JE DONNE L'ORDRE DE TIRER! COMPRIS?...
CROYEZ-VOUS QUE ÇA VA MARCHER?...
BAH, S'IL EST MONTÉ AVEC UNE CHÈVRE POURQUOI PAS AVEC EUX!...

COMMENCEZ À DÉROULER LE CÂBLE!
AÏE! AÏE! AÏE!

CRÎÎP
CRÎÎP
CRÎÎP
CRÎÎP

C'EST ICI QUE LA CHÈVRE A SAUTÉ!
ET EUX, VOUS CROYEZ QU'ILS VONT SAUTER?...
ÇA A L'AIR DE MARCHER!
JE ME DEMANDE CE QU'ILS VOIENT DE LÀ-HAUT!
SERGENT, UNE PETITE QUESTION...
A... ALLEZ-Y BLUTCH!
CRIIIP
CRIIIP
CRIIIP

DITES-MOI... QU'ESPÈRE-T-ON DE LA CAVALERIE À UNE HAUTEUR PAREILLE?...
BEN...

BLUTCH! REGARDEZ!
12A.

BON SANG! NOUS SURPLOMBONS TOUT LE CHAMP DE BATAILLE!... REGARDEZ COMME C'EST BEAU!...
AH! VOUS TROUVEZ!?...
12B

OUAAAH!

VOYONS, BLUTCH, NE VOUS ARRÊTEZ PAS À DE PETITS DÉTAILS! REGARDEZ PLUTÔT PAR ICI!
AH! PARCE QUE VOUS APPELEZ ÇA DE PETITS DÉTAILS!?... EN TOUT CAS, SI CE TRUC, LÀ AU-DESSUS, SE DÉGONFLE TOUT D'UN COUP, VOUS VERREZ LES PETITS DÉTAILS EN GROS PLAN... JE VOUS EN FICHE MON BILLET!

VOUS CROYEZ QU'ILS ONT SURVÉCU?...
ON LE SAURA BIENTÔT! REDESCENDEZ LE BALLON!

DIX CONTRE UN QU'ON VA LES RETROUVER RAIDES COMME DES BÂTONS DE RÉGLISSE!
TENU!
LA CHÈVRE AVAIT BIEN SURVÉCU, ELLE!
OUI, MAIS ELLE AVAIT SAUTÉ AVANT LES CINQUANTE MÈTRES!
13A

HURRAH! ILS ONT SURVÉCU!
ALORS?...
MAGNIFIQUE, MON GÉNÉRAL!

C'EST FOU CE QU'ON PEUT VOIR DE LÀ-HAUT!... TOUTE L'ARMÉE DE LEE EST PLANQUÉE DEVANT NOUS: LEUR ARTILLERIE SE TROUVE FACE À LA RIVIÈRE. QUANT À LEUR CAVALERIE, ELLE EST DISSÉMINÉE DANS LES BOIS!
FORMIDABLE!

DITES-NOUS, SERGENT, EST-CE QUE CE N'EST PAS DANGEREUX?... ON RESPIRE FACILEMENT?... ON.....
REGARDEZ-NOUS!... EST-CE QU'ON N'EST PAS REVENUS VIVANTS?...
UN COUP DE CHANCE, OUI!

CROYEZ-VOUS QUE NOUS... EUH...
SOYEZ SANS CRAINTE! ET PUIS, ÇA VAUT LE COUP D'OEIL!

PEU APRÈS...
CRÎÎP
CRÎÎP
13B

VOUS... VOUS CROYEZ VRAIMENT QUE C'EST SANS DANGER ?...
VOYONS... E...ELIOT !...CE... SE...SERGENT NOUS L'A BIEN AFFIRMÉ... EH EH EH...
É...ÉCOUTEZ! QU'EST-CE QUE ?!
KRRR
KRRRR
CRÏÏP CRÏÏP CRÏÏP CRÏÏP

WAAAA
KRRRAAK
?
?!
14A.

PLUS TARD...
MAIS ENFIN, BLUTCH, VOUS LEUR AVEZ BIEN EXPLIQUÉ QUE CE N'EST TOUT DE MÊME PAS MA FAUTE SI LE FOND DE LA NACELLE A CRAQUÉ!
C'EST DIFFICILE, SERGENT... ILS SONT DANS LE PLÂTRE JUSQU'AUX OREILLES!
JAIL

ILS NE VOUS ONT PAS DIT CE QU'ILS COMPTAIENT FAIRE DE MOI ?...
OH! POUR ÇA, SI!...AU DÉBUT, ILS ONT VOULU VOUS FAIRE ÉCARTELER, MAIS COMME CE N'ÉTAIT PAS PRÉVU DANS LE RÈGLEMENT MILITAIRE, ILS ONT DÉCIDÉ DE VOUS FUSILLER!

MAIS C'EST AFFREUX! JE SUIS INNOCENT!
INNOCENT ?!...AVEC TROIS GÉNÉRAUX QU'IL FAUDRA NOURRIR À LA CUILLÈRE PENDANT DES MOIS ET UN BALLON ENVOLÉ DANS LA NATURE! VOUS EN AVEZ DE BONNES, VOUS!

CE N'EST PAS DE MA FAUTE! JE LE JURE!
VOUS EN FAITES PAS, SERGENT!... IL VOUS RESTE UNE PETITE CHANCE!

APRÈS CE COUP D'ÉCLAT, PERSONNE N'AURA PLUS ENVIE DE METTRE NE FÛT-CE QU'UNE GODASSE DANS UN DE LEURS BALLONS!... À PART DEUX ANDOUILLES: VOUS ET MOI, ILS N'AURONT PAS LE CHOIX!
BLUTCH, S'IL N'Y AVAIT PAS DE BARREAUX ENTRE NOUS, JE VOUS SERRERAIS SUR MON COEUR!
BEUÉÉRK!
14B

EN EFFET...
NATURELLEMENT, J'AI VEILLÉ PERSONNELLEMENT À FAIRE RENFORCER LE FOND DE LA NACELLE... ON NE SAIT JAMAIS!... UN ACCIDENT EST SI VITE ARRIVÉ!
VOUS... VOUS CROYEZ QU'ILS SONT ENCORE FÂCHÉS?...
CRIIIP
CRIIII

PENDANT CE TEMPS, CHEZ LES SUDISTES...
ALORS, IL A PARLÉ?...
SI ON PEUT APPELER ÇA PARLER, MON GÉNÉRAL!

JE NE COMPRENDS PAS! A-T-IL PARLÉ, OUI OU NON?
HURLÉ, MON GÉNÉRAL, HURLÉ!
15A

MAIS ENFIN, QU'EST-CE QUE ÇA VEUT DIRE!?... QUE SIGNIFIE CETTE COMÉDIE?!... TIREZ-VOUS DE LÀ!... DÉSORMAIS, C'EST MOI QUI L'INTERROGERAI!
VOUS Y TENEZ VRAIMENT, MON GÉNÉRAL?...

OUI, J'Y TIENS!
BON!

MONSIEUR, JE VOUS AVERTIS CHARITABLEMENT QUE JE SUIS LOIN D'ÊTRE UN TRÉSOR DE PATIENCE! AUSSI JE VOUS SOMME DE RÉPONDRE À MES QUESTIONS:
NOM, GRADE, UNITÉ!?

CHAARGEZ

EH! OH! ARRÊTEZ, LES GARS! J'AI L'IMPRESSION QUE C'EST ENCORE UN FAUX DÉPART!
ENCORE?! ÇA NE FERA JAMAIS QUE LE VINGT-SIXIÈME AUJOURD'HUI!
15B

MON GÉNÉRAL, VENEZ VOIR!
?!

LÀ-BAS! REGARDEZ!

MILLE TONNERRES! QU'EST-CE QUE C'EST QUE CETTE CHOSE?!
UN BALLON, MON GÉNÉRAL!... DES HOMMES M'ONT CERTIFIÉ EN AVOIR DÉJÀ VU UN HIER... J'AVOUE AVOIR ÉTÉ ASSEZ SCEPTIQUE, MAIS À PRÉSENT...
16A

MAIS QU'ESPÈRENT-ILS AVEC LEUR BALLON?... NOUS FAIRE PEUR?...
MÊME PAS, MON GÉNÉRAL! REGARDEZ BIEN: DANS LA NACELLE, IL Y A DES HOMMES...

JE LES VOIS, MAIS TRANQUILLISEZ-VOUS, MON VIEUX!... ILS NE SONT PAS ARMÉS!...

ILS N'ONT PAS BESOIN DE L'ÊTRE, MON GÉNÉRAL!... ILS SE CONTENTENT DE NOUS OBSERVER ET DE TRANSMETTRE LE MOINDRE DE NOS MOUVEMENTS DE TROUPES À CEUX D'EN BAS!
MALÉDICTION!

FAITES POINTER TOUTES LES PIÈCES SUR CE BALLON DE MALHEUR!... J'OFFRE DIX DOLLARS SUR MA SOLDE À CELUI QUI FERA MOUCHE!...

BAOM
BAOM
16B

SERGENT, JE VOUS SIGNALE QU'ON NOUS TIRE DESSUS!
N'AYEZ CRAINTE, BLUTCH!... À CETTE HAUTEUR, ILS NE PEUVENT NOUS ATTEINDRE!

WIIIIIIIIIII
HEUREUX DE VOUS L'ENTENDRE DIRE, SERGENT! POUR UN PEU, JE ME SERAIS INQUIÉTÉ!

MONTEZ! MOONTEZ!

...TEZ! GNNNEZ! ...TEEZ!
QU'EST-CE QUE VOUS DITES?... CRIEZ PLUS FORT!
HEIN? QUOI?

INUTILE DE VOUS FATIGUER, SERGENT! ILS NE NOUS ENTENDENT PAS!... AIDEZ-MOI PLUTÔT!
?
17A.

BRAVO, BLUTCH! VOUS ÊTES UN GÉNIE!
Nous sommes trop bas

VITE! VITE!

Nous sommes trop bas!

BLOFF

QU'EST-CE QU'ILS DISENT?
...QU'ILS SONT TROP BAS, MON GÉNÉRAL!

QU'EST-CE QUE... VOUS ATTENDEZ P... POUR DONNER DU... DU MOU?!...
À VOS ORDRES!
17B.

KRÏÏIP
KRÏÏIP

SERGENT... ILS ONT COMPRIS!... ILS ONT REÇU NOTRE MESSAGE!
NOUS SOMMES PRESQUE HORS DE PORTÉE!

SNAP
WOOUU
SNAP
18A

WAAAAAAA

DESCENDEZ! DESCENDEZ!

ILS NE NOUS ENTENDENT PAS!... BLUTCH, ESPÈCE D'IDIOT, QU'EST-CE QUE VOUS ATTENDEZ POUR LEUR ENVOYER UN AUTRE MESSAGE?!
ET COMMENT VOULEZ-VOUS QUE JE L'ÉCRIVE?! AVEC MES PIEDS?!...
KRÏP
KRÏP
18B

LAISSEZ TOMBER QUELQUE CHOSE!
QUOI?
JE NE SAIS PAS, MOI!... VOS BOTTES, VOTRE CEINTURON, VOTRE PANTALON, S'IL LE FAUT!
AH BRAVO! JE VAIS AVOIR L'AIR DE QUOI, MOI?...
BLUTCH, NOTRE VIE EST EN JEU!
...ET MA VERTU, QU'EST-CE QUE VOUS EN FAITES?..
BLUTCH, C'EST UN ORDRE!
BON!

!

HOOO!
18C

...PEU APRÈS...
SUIVEZ-MOI DANS MA TENTE, SERGENT... J'AI HÂTE D'ENTENDRE VOTRE RAPPORT...
TIENS, LE GÉNÉRAL N'EST PAS LÀ?...

FIGUREZ-VOUS QUE NON!... IL A REÇU VOTRE "PREMIER MESSAGE"!
AH?!

NOUS VOUS ÉCOUTONS...
À MON AVIS, ÇA DEVRAIT POUVOIR MARCHER, MON COLONEL!... SI LE BALLON RÉUSSIT À ATTEINDRE UN PEU PLUS D'ALTITUDE, ILS NE POURRONT PLUS NOUS TOUCHER!

NOUS JOUIRONS DÈS LORS D'UN POSTE D'OBSERVATION UNIQUE!... UNE SEULE OMBRE AU TABLEAU, SIR!
LAQUELLE?...

IL FAUDRA TROUVER UN MOYEN EFFICACE POUR COMMUNIQUER NOS RAPPORTS À CEUX QUI SONT RESTÉS AU SOL!
C'EST CE QUE LE GÉNÉRAL PRÉCONISAIT IL Y A QUELQUES MINUTES, AVANT DE DISPARAÎTRE ENTIÈREMENT DANS LE PLÂTRE!
AH?!
19A.

J'AI DONNÉ L'ORDRE DE FAIRE RÉPARER LA NACELLE!... QUANT AU PROBLÈME QUI NOUS OCCUPE, IL SERA RÉSOLU D'ICI QUELQUES HEURES!... LA PROCHAINE ASCENSION EST PRÉVUE POUR DEMAIN À L'AUBE!... ROMPEZ!...

ALORS?... OÙ ALLONS-NOUS, À PRÉSENT?...
À LA CANTINE, MON PETIT BLUTCH... JE VOUS OFFRE UNE BOUTEILLE!... JE VOUS DOIS BIEN ÇA POUR M'AVOIR SAUVÉ LA VIE, NON?...

...ET À QUEL PRIX, VE VOUS VURE!... FRANFEMENT, VE ME DEMANDE FI FA VALAIT FA!
SOYEZ HEUREUX!... NOS OFFICIERS VOUS ONT VU SOUS UN AUTRE JOUR!... IL PARAÎTRAIT MÊME QUE LE COLONEL ARGUSSON VOUS A TROUVÉ PAS MAL DU TOUT!... HA HA HA...
U.S. ARMY

FRAPPER LE CRÂNE D'UN SUPÉRIEUR, MÊME AVEC UNE FLEUR, ÉQUIVAUT À LA COUR MARTIALE, BLUTCH!... VOYEZ-VOUS, MÊME AVEC UNE BOTTE......
EXCUSEZ-MOI, SERGENT! ÇA A ÉTÉ PLUS FORT QUE MOI!
19B.

LA NUIT VENUE...
CRAAK
!

HOW!
PAF!

JOE!?
JOE!?

JOE!?

ALERTE!... LES REBS ONT ENLEVÉ UNE SENTINELLE!
?
RENFORCEZ LA GARDE AVEC ORDRE DE TIRER SUR TOUT CE QUI BOUGE!
PAN-PAN
HAAA
PAS DE CE CÔTÉ-CI, IDIOT!... À L'EXTÉRIEUR DU CAMP!
PAN
AH!
MEUUUHHHHH
HO, LA PAUVRE BÊTE!

JE ME DEMANDE COMMENT CET IMBÉCILE PARVIENT À DORMIR AVEC UN BOUCAN PAREIL!
FOURMIS

À L'AUBE, CHEZ LES SUDISTES...
ALORS?
LA SENTINELLE A PARLÉ!... VOS SOUPÇONS ÉTAIENT FONDÉS, MON GÉNÉRAL!... LEUR CAVALERIE A ÉTÉ COMPLÈTEMENT ANÉANTIE!
...ET MAINTENANT, JE PEUX ME GRATTER?...
CSA

HA HA HA!... BIEN! PARFAIT!... DONNEZ ORDRE À LA CAVALERIE DE SE PRÉPARER!... NOUS ALLONS LEUR RÉSERVER UNE PETITE SURPRISE!
À VOS ORDRES!

MON GÉNÉRAL! LE BALLON!

QU'ILS AILLENT AU DIABLE, EUX ET LEUR BALLON! S'ILS CROIENT M'IMPRESSIONNER, ILS SE TROMPENT LOURDEMENT!

CAPITAINE KAYSSON... LES BATTERIES NORDISTES SONT PLACÉES EN AMONT DE LA RIVIÈRE! PRENEZ-LES À REVERS ET DÉTRUISEZ TOUT CE QUE VOUS POURREZ!

SI CE QU'A DIT LA SENTINELLE EST JUSTE, VOUS TROUVEREZ TRÈS PEU DE RÉSISTANCE! ALLEZ!
EN AVANT!
21A

EH, BLUTCH... LEUR CAVALERIE SE MET EN BRANLE!
MMM?...

VITE! ÉCRIVEZ!... CAVALERIE SUDISTE SE DIRIGE VERS BATTERIES... POINT... SUPPOSONS TENTATIVE POUR LES PRENDRE À REVERS... POINT... TERMINÉ!
À... RE... VERS... POINT! TER... MI... NÉ!

DOIS-JE AJOUTER : _" GROS BAISERS, À BIENTÔT" OU "AFFECTUEUSEMENT VÔTRE, SERGENT CORNÉLIUS CHESTERFIELD"?
?

CESSEZ DONC VOS PITRERIES, IDIOT!... LE TEMPS PRESSE!...

21B

POF

UN MESSAGE, MON COLONEL!
?
HEADQUARTE

TRANSMETTEZ!
À VOS ORDRES, MON COLONEL!

ORDRE DU COLONEL!... URGENT!
22A

PUF PUF PUF
BOM BOM BOM
MALÉDICTION!... FAITES PIVOTER LES PIÈCES, VITE!... POINTEZ-LES SUR LA CRÊTE, DERRIÈRE VOUS!...

REGARDEZ, BLUTCH... ILS ONT COMPRIS!... ILS CHANGENT DE POSITION!...
C'EST BEAU, LE PROGRÈS!

CHAARGEeeez!??
FEU!
22B

?!!

EN ARRIÈRE! EN ARRIÈRE!

MAUDIT BALLON!
23A

ILS S'ENFUIENT!... S'ILS VOULAIENT PROFITER DE L'EFFET DE SURPRISE, ILS L'ONT EU DRÔLEMENT DANS L'OS!
GRÂCE À NOUS, MON PETIT BLUTCH!

HÉ! HO! CE N'EST PAS PARCE QUE NOUS SOMMES SEULS QUE VOUS DEVEZ VOUS SENTIR OBLIGÉ DE VOUS PERMETTRE QUELQUES PETITES FAMILIARITÉS!
!

QU'EST-CE QUE VOUS CROYEZ, ESPÈCE DE MINABLE!?! QU'APRÈS ÇA, JE VOUS AURAIS DÉPOSÉ UN BISOU SUR VOTRE MAIGRE COU DE POULET?.....
ESSAYEZ, ET JE VOUS COLLE UNE BAFFE! YEK YEK YEK...

BLUTCH, VOUS ÊTES D'UN BÊTE, MAIS D'UN BÊTE!
JE VOUS AIME MIEUX COMME ÇA, SERGENT! VOUS ÊTES PLUS NATUREL!

MAIS ENFIN, JE NE COMPRENDS PAS! VOUS DEVIEZ RÉUSSIR! NOUS SOMMES CERTAINS À PRÉSENT QU'ILS N'ONT PLUS DE CAVALERIE!
IL FAUT LE DÉTRUIRE À TOUT PRIX!
LEUR CAVALERIE N'A RIEN À VOIR LÀ-DEDANS, MON GÉNÉRAL!... GRÂCE À LEUR POSTE D'OBSERVATION, ILS SONT AU COURANT DU MOINDRE MOUVEMENT DE NOS TROUPES...
23B

PRENEZ AUTANT D'HOMMES QU'IL VOUS PLAIRA ET ALLEZ DÉTRUIRE CE MAUDIT ENGIN!
COMPTEZ SUR MOI, MON GÉNÉRAL!

GOMMY, BERLIOZ! AVEC MOI!...
OÙ ALLONS-NOUS, MON CAPITAINE?...

...DÉTRUIRE ÇA!

J'AI DONNÉ ORDRE À L'INFANTERIE DE SIMULER UNE ATTAQUE, MON GÉNÉRAL!... SI ON VEUT QUE LA MISSION DU CAPITAINE KAYSSON RÉUSSISSE, IL FAUT CRÉER UNE DIVERSION!
PARFAIT! FAITES DONNER L'ARTILLERIE! AINSI L'ILLUSION SERA PARFAITE!
24A

BANG
BANG
BANG

NOTEZ, BLUTCH: ARTILLERIE ET MOUVEMENTS DE TROUPES AU NORD!...PAS DE CAVALERIE!
ÇA...VA... LE...RIE!... C'EST TOUT, SERGENT?...

OUAIS!
BON!

SACRÉ BON SANG! VOILÀ QU'ILS REMETTENT ÇA! ENVOYEZ LE SIXIÈME ET LE SEPTIÈME BATAILLON AU NORD!... LE QUATRIÈME LES APPUIERA EN CAS DE NÉCESSITÉ!
BIEN, MON COLONEL!
HEADQUARTERS

PARFAIT!... C'EST LE MOMENT, LES GARS!... ALLONS-Y!
24B

FULL DES AS PAR LES NEUF!
FAIS VOIR!

ATTENTION... PRÊTS?...
PRÊTS!...

ALEEERTE!
25A.

TOC

PAW

SNAP
25B

BON DIEU, IL COMMENCE À FAIRE DRÔLEMENT FROID!
HON?...

VOUS AVEZ RAISON, SERGENT! IL SERAIT TEMPS QU'ILS NOUS REDESCENDENT, LÀ EN BAS!... ON NE VA TOUT DE MÊME PAS RESTER ICI TOUTE LA NUIT!...

HEEEE!OHOOH HOOOOUOU

ET ALORS? ON OUBLIE SES PETITS COP....???
?

QUELQUE CHOSE QUI NE VA PAS, BLUTCH?...
ARG... GLOPS... ARGRRBLL...

RÂÂÂÂ... TOUGUIDOU... HOULOULOUUU HOULOULOUU
?

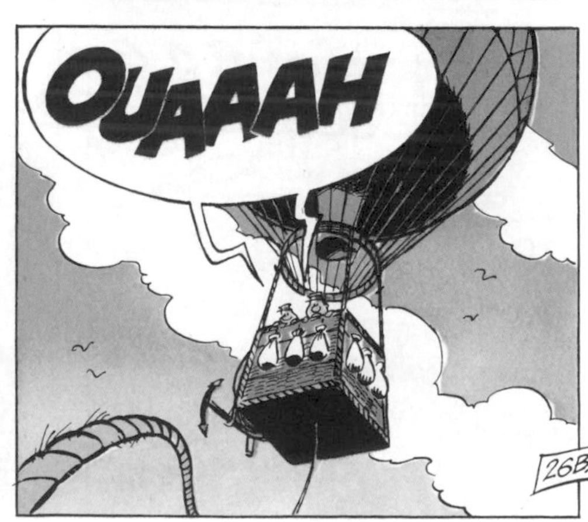
OUAAAH

C'EST PAS VRAI!
MAIS SI!
C'EST PAS VRAI!
MAIS SI!
27A.

AU SECOURS! AU SECOURS!

HA HA HA!...BRAVO, MON BRAVE!... DÉSORMAIS CE BALLON NE LEUR EST PLUS D'AUCUNE UTILITÉ!... DANS QUELQUES MINUTES, IL AURA DISPARU À L'HORIZON!... DITES AU CAPITAINE KAYSSON QU'IL A BIEN MÉRITÉ SA MÉDAILLE!...
EUH... IL N'EST PAS REVENU, SIR... BERLIOZ NON PLUS...

HO!? VOUS ÊTES LE SEUL RESCAPÉ?...
YES, SIR!

TANT PIS! QU'ON FASSE PORTER LA MÉDAILLE DU CAPITAINE KAYSSON À LA FONDERIE!... AVEC LA CRISE DU MÉTAL, IL VAUT MIEUX SE MONTRER ÉCONOME!
YES, SIR!

PENDANT CE TEMPS...
27B

J'VEUX DESCENDRE! J'VEUX DESCENDRE!
BLUTCH! VOUS ÊTES FOU! VOUS RISQUEZ DE VOUS ROMPRE LES OS!

À UNE HAUTEUR PAREILLE, VOUS N'Y SURVIVREZ PAS!... VOTRE PETIT CORPS SOUPLE ET MUSCLÉ GISERAIT TOUT DÉMANTELÉ, TELLE UNE BOUSE DE VACHE AU MILIEU DE L'HERBE FOLLE!

NON... ÇA NE VAUT PAS LE COUP! IL DOIT Y AVOIR UNE AUTRE SOLUTION POUR DESCENDRE... RÉFLÉCHISSONS!
À CETTE ALTITUDE?... VOUS N'Y PENSEZ PAS! J'AI TROP D'AIR DANS LES OREILLES!...

VOYONS... VOYONS... SI J'OUVRE LA SOUPAPE, LE GAZ S'ÉCHAPPERA... DONC, MOINS DE GAZ DANS LE BALLON... DONC, BALLON MOINS LÉGER... DONC DESCENTE!... QU'EN PENSEZ-VOUS, BLUTCH?...
ATTENDEZ!... DONC... DONC ET DONC... MNNGNMNGNNNN... ... IL EST TROIS HEURES...

IDIOT!... ATTENTION! J'ESSAYE!

PSSCHHHH
28A

ÇA MARCHE! ÇA MARCHE! NOUS REDESCENDONS BLUTCH! YOUPIIIIE!
HÉ! HO! NE TIREZ PAS SI FORT!... À CETTE VITESSE-LÀ, CE SONT DEUX BOUSES DE VACHE ET UNE RONDELLE DE CAOUTCHOUC QU'ON RETROUVERA DANS L'HERBE FOLLE!

YOUPEEE YAOUOUUU OLÉ!

EUH... HMM... SERGENT!... IL Y A COMME QUI DIRAIT UN HIC!

MON GÉNÉRAL! MON GÉNÉRAL! VENEZ VOIR!
28B

JE NE VOUS LE FAIS PAS DIRE!
QUOI !?.. ENCORE LUI?!... CETTE FOIS, C'EN EST TROP! FAITES DONNER L'ARTILLERIE !... UNE CAISSE DE WHISKY À CELUI QUI DESCENDRA CE PARASITE !...
U.S. ARMY
29A.

HAUSSE MAXIMUM ET FEU À VOLONTÉ !... UNE BOUTEILLE À CELUI QUI FERA MOUCHE!

FEU!
BAOM

BON SANG! NOUS SOMMES JUSTE À PORTÉE DE LEUR TIR!
À MON AVIS, IL VAUDRAIT MIEUX TROUVER UN MOYEN POUR REMONTER AU LIEU DE S'ENTÊTER À VOULOIR DESCENDRE!
WOUUU
WOUOUUUU

BIEN RAISONNÉ, BLUTCH! IL FAUT LÂCHER DU LEST, ET VITE!
QUAND JE VOUS DISAIS QUE JE RÉFLÉCHISSAIS MIEUX À BASSE ALTITUDE!
29B.

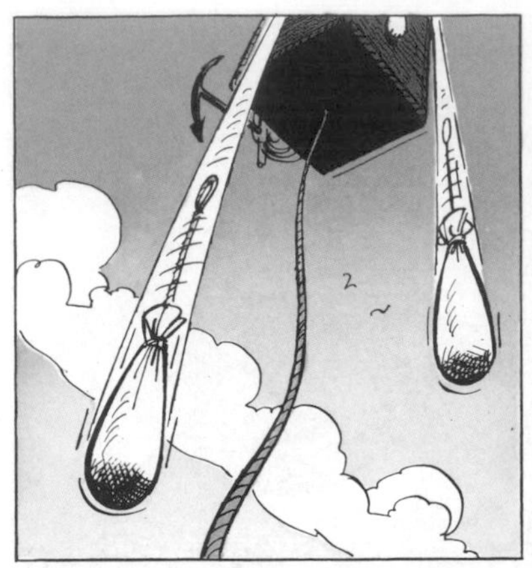

BLOUF
!

ON REMONTE!
SOMMES-NOUS ASSEZ HAUT?...

CRACK
BANG

NON!
FIOUUU
30A

FEU!
ATTEN...

...TION!...
BANG
POF

!

MON GÉNÉRAL! MON GÉNÉRAL! CALMEZ-VOUS! PAS DEVANT LA TROUPE, VOYONS!
30B

SAUVÉS! MAIS DE JUSTESSE!

REGARDEZ, BLUTCH! LE VENT NOUS POUSSE VERS NOS LIGNES!

?

ILS REVIENNENT PAR ICI, MON COLONEL!...
INTIMEZ-LEUR L'ORDRE D'ATTERRIR! JE VEUX ENTENDRE DE LEUR BOUCHE DES EXPLICATIONS SUR CETTE DÉSERTION!...

VEUILLEZ M'EXCUSER, MON COLONEL, MAIS ILS N'ONT PAS DÉSERTÉ! LORS DE L'ATTAQUE SURPRISE, UN OFFICIER SUDISTE A TRANCHÉ L'AMARRE ET...
TA TA TA... ILS N'AVAIENT QU'À RESTER SUR PLACE ET ATTENDRE MES ORDRES! ROMPEZ!
31A

ILS NOUS FONT SIGNE DE DESCENDRE!

NOUS ALLONS ATTERRIR AVEC LA DOUCEUR D'UNE MOUCHE SE POSANT SUR UN CROTTIN DE CHEVAL!
LAISSEZ-MOI FAIRE!
US

O.K., BLUTCH! NOUS SOMMES JUSTE AU-DESSUS D'EUX! VOUS POUVEZ Y ALLER!
PSCHH

HÉ! PAS SI VITE! PAS SI VIIITE!
JE VEUX BIEN, MOI!... MAIS C'EST LA SOUPAPE QUI NE VEUT PAS!... ELLE S'EST BLOQUÉE!

31B.

KRAAAK
NOOON!
OUAAH!
32A.

PEU APRÈS...
VOUS AVEZ DES NOUVELLES DU COLONEL ARGUSSON?..
PAS ENCORE!... IL EST TOUJOURS BLOQUÉ SOUS LA NACELLE!

ÇA Y EST! J'AI TOUCHÉ QUELQUE CHOSE DE DUR AVEC MA PELLE!
ÇA DOIT ÊTRE LUI!... CONTINUEZ DE CREUSER!
PLUS VITE! PLUS VITE, SOLDAT! JE VOUS JURE QU'ILS VONT M'ENTENDRE!

?
STOP!

OUAP!
TCHRR

CE N'EST PAS POSSIBLE! VOUS AVEZ DÉCIDÉ DE SUPPRIMER TOUS LES OFFICIERS SUPÉRIEURS DE CETTE ARMÉE?!
EX... EXCUSEZ-MOI, MON CO... CO...
NOUS ALLONS VOUS AIDER, MON COLONEL!
32B.

AH! VOUS, NE ME TOUCHEZ PAS, HEIN!

JE DEVRAIS VOUS FAIRE FUSILLER, MAIS JE SERAI BON PRINCE!... DÉLIVREZ LE CAPITAINE STARK, ET J'ESSAIERAI D'OUBLIER JUSQU'À VOS NOMS ET VOS VISAGES!...

SINON, ENGAGEZ-VOUS CHEZ LES SUDISTES!... VOUS NOUS SEREZ PLUS UTILES LÀ-BAS QU'ICI!
OOOH...

KRAAAK

CE N'EST PAS VRAI! CE N'EST PAS VRAI!... VOUS LE FAITES EXPRÈS OU QUOI?!
MAIS... EUH... MON... MON COLONEL... EUH...
33A

PLUS TARD...
...DÉLIVRER LE CAPITAINE STARK... DÉLIVRER LE CAPITAINE STARK!... C'EST VITE DIT!... COMMENT ARRIVER JUSQU'À LUI?... ET PUIS, COMMENT REVENIR?... ON A NEUF CHANCES SUR DIX D'Y LAISSER SA PEAU....
À VRAI DIRE, JE ME DEMANDE SI CE N'EST PAS CE QU'IL CHERCHE!...

...À MOINS QUE...
À MOINS QUE...

...À MOINS QUE NOUS NOUS SERVIONS DU BALLON!...
...PAS FOU, NON?!... JE NE METTRAI PLUS UN PIED LÀ-DEDANS!... JE VOUS EN DONNE MA PAROLE!
33B

ÉCOUTEZ-MOI, TÊTE DE PIOCHE..... À PRÉSENT, NOUS SAVONS FAIRE MONTER ET DESCENDRE LE BALLON... JUSTE ?...
JUSTE!

IL SUFFIRA D'ATTENDRE QUE LE VENT SOIT FAVORABLE, ET NOUS NOUS DIRIGERONS DROIT SUR LES LIGNES ENNEMIES...
...QUI N'ATTENDENT QUE ÇA POUR NOUS FAIRE EXÉCUTER UN SAUT DE TROIS CENTS PIEDS EN CHUTE LIBRE !...

JUSTEMENT NON, MON PETIT BLUTCH !... CAR ILS NE NOUS VERRONT PAS !
AH ?!... VOUS ALLEZ LEUR DISTRIBUER DES LUNETTES NOIRES ?...

MAIS NON, IDIOT !... CETTE FOIS, NOUS VOYAGERONS LA NUIT !... AVANT ÇA, IL FAUDRA SIMPLEMENT SITUER LE POINT OÙ EST CENSÉ ÊTRE EMPRISONNÉ LE CAPITAINE STARK...
ET LÀ, VOUS COMPTEZ ENCORE SUR LE BALLON, UNE BONNE LONGUE-VUE ET UN PEU DE PATIENCE !

BRAVO, BLUTCH ! VOUS AVEZ COMPRIS !
OH OUI !... EH BIEN, BONNE CHANCE, SERGENT ! ET QUE DIEU VOUS GARDE !...

COMMENT, VOUS GARDE ?...
PARCE QUE JE NE MARCHE PAS !... ET TOC !...
AH OUI ?...
AH NON !
34A

QUELQUES INSTANTS PLUS TARD.....
ET MOI, JE VOUS DIS QUE C'EST DU SUICIDE !... CE BALLON VIENT À PEINE D'ÊTRE RÉPARÉ !...
NE CRAIGNEZ RIEN ! J'AI BIEN VÉRIFIÉ TOUT !... J'AI MÊME FAIT CHANGER LA NACELLE !

ENCORE HEUREUX !... C'EST COMME ÇA QU'ON A DÉCOUVERT LE COLONEL !... IL ÉTAIT RESTÉ COLLÉ SOUS LE FOND !...
HA !... REGARDEZ !

CE DOIT ÊTRE LÀ !... DANS DEUX HEURES, IL FERA SOMBRE !... SI LE VENT NE CHANGE PAS, CE SERA POUR CETTE NUIT !...
C. S. A.
MON DIEU ! MON DIEU !
34B

BEAUCOUP PLUS TARD...
JE DOIS AVOUER QUE VOTRE IDÉE ME PARAÎT GÉNIALE, SERGENT! CROYEZ-VOUS QU'ELLE RÉUSSIRA?...
C'EST LA SEULE SOLUTION, MON COLONEL!

ALORS, ALLEZ, ET BONNE CHANCE!
ADIEU, MON COLONEL!... OU NOUS RÉUSSIRONS, OU NOUS MOURRONS!
TIREZ-VOUS, LES GARS!... JE DESCENDS!

ALLEZ-Y, LES GARS!...
LÂCHEZ-MOI, OU JE VOUS MORDS!

35A

ET VOILÀ!... À PRÉSENT, IL NE NOUS RESTE PLUS QU'À NOUS REPÉRER!
ÇA VA ÊTRE COTON! MÊME UN HIBOU N'Y RETROUVERAIT PAS UN CANON DE QUATRE VINGTS POUCES!

LÀ! ÇA DOIT ÊTRE LÀ...
BAH... SI C'EST VOUS QUI LE DITES!

PASSEZ-MOI L'ANCRE ... J'Y VAIS!...
ADIEU, SERGENT... J'IRAI PORTER DES GLAÏEULS SUR VOTRE TOMBE!... SI, SI...JE LE JURE!

DEMAIN, QUAND LE SOLEIL INONDERA LA TERRE DE SES CHAUDS RAYONS, PEUT-ÊTRE TROUVERA-T-IL UN GROS CORPS GRAS ET TOUT FROID, RATATINÉ SUR LUI-MÊME ET TROUÉ COMME UNE PASSOIRE!
C'EST ÇA, LA MORT DES HÉROS, BLUTCH!

LA MORT DES
OUAIS!
OH! ÇA VA! LA FERME, HEIN! VOUS ALLEZ ME FAIRE REPÉRER!
35B

!
RIEN À SIGNALER, MAC ?...
RIEN ! TOUT EST O.K. !

PFIOUUU

?
HÉ HÉ HÉ... SALUT !
PLOPS

ALEERTE !
BLUTCH ! REMONTEZ-MOI VIIIIITE !
36A

???

MAIS JE VOUS ASSURE, MON LIEUTENANT !... IL ÉTAIT LÀ, TEL QUE JE VOUS VOIS, ME REGARDANT AVEC DES YEUX HAGARDS... ET PUIS, PFUUUIT !... DISPARU !... ENVOLÉ !...
MMOUAIS !
TAP TAP

RETOURNEZ À VOS POSTES, BOYS !
MAIS, MON LIEUTENANT, JE VOUS JURE QUE C'EST VRAI... IL ÉTAIT LÀ... ET PUIS, MON LIEUTENANT...
HÉ ! HO ! ÇA VA, MON VIEUX !

ON A TOUS LES NERFS QUI CRAQUENT !... C'EST HUMAIN !...
MAIS... MAIS...
...ET PUIS, TU N'ES PAS LE SEUL !

LA NUIT PASSÉE, J'AI ENTENDU DES VOIX QUI ME DEMANDAIENT DE LAISSER TOMBER MES MOUTONS, DE REVÊTIR MON ARMURE ET D'ALLER CHASSER LES INDIENS DE FLORIDE... LÀ... TU VOIS ?... FICHUE GUERRE !...
36B

ZUT! ENCORE LUI!
HÉ, JOE!
OUAIS?...

?
OH! RIEN...

ÇA VA, SERGENT?...
TOC
TOC

O.K.! LE BALLON EST ARRIMÉ... J'Y VAIS!... À TOUT À L'HEURE, BLUTCH!...
37A

ADIEU, SERGENT!

BON!... ET À PRÉSENT, PASSONS AUX CHOSES SÉRIEUSES!
Forge
C.S.A.

37B.

CRRRRR

HEEE... PSSST... CAPITAINE STARK!... HOOOO...
ZZZZZZZZ

CAPITAINE STARK!... RÉVEILLEZ-VOUS... C'EST MOI!... LE SERGENT CORNÉLIUS CHESTERFIELD!...
MMM...? HEIN... QUOI?...

MALÉDICTION! UN YANKEE!...
CE N'EST PAS LUI!

AAL... MGNIOUF DUOUUFF G...
38A

BLOUF! GNOUGOU GNN PAF! KLOPS! AALER... PAF!
IL A LE SOMMEIL AGITÉ, LE GÉNÉRAL!...

MOI, ÇA NE M'ÉTONNE PAS!... ÇA DOIT ÊTRE LES ÂMES DE TOUS CES PAUVRES TROUFIONS QU'IL ENVOIE SE FAIRE TUER TOUS LES JOURS QUI LE TOURMENTENT!...
ILS NE DOIVENT PAS L'AVOIR TOURMENTÉ BEAUCOUP!... ÉCOUTE!... IL S'EST DÉJÀ RENDORMI!... ON N'ENTEND PLUS RIEN!
PTUIT

JE VAIS ENLEVER VOTRE BÂILLON UN INSTANT, MON GÉNÉRAL... JUSTE LE TEMPS DE ME DIRE OÙ VOUS RETENEZ PRISONNIER LE CAPITAINE STARK... MAIS ATTENTION... AU MOINDRE CRI, JE VOUS COLLE UNE BALLE DANS VOTRE CHEMISE DE NUIT, EN GUISE DE DÉCORATION!...

38B

CRRRRR

!

FICHUE GUERRE!

IL Y A DES CHOSES QU'IL VAUT MIEUX NE PAS CHERCHER À COMPRENDRE !...
39A

CAPITAINE STARK, C'EST MOI... CHHHT... PAS UN MOT!... JE VIENS VOUS DÉLIVRER!
?

CHAAARGEZ !

LA FERME!
SILENCE!
ON PEUT DORMIR, DITES?... EST-CE QU'ON PEUT DORMIR?!
FAITES-LE TAIRE ⊗☆✱! OU JE LUI LOGE DU PLOMB DANS LA TÊTE!...
CATACLOPCA
RAPPELEZ LA CAVALERIE! RAPPELEZ LA CAVALERIE!
CLAIRON, SONNEZ LA RETRAITE!
TARATATATATA
39B

C'EST PAS BIENTÔT FINI, CES HURLEMENTS DE SAUVAGE?
'Z'AURIEZ DÛ NOUS ÉCOUTER, LIEUTENANT!... FALLAIT LE FUSILLER OU LE RELÂCHER!... LES HOMMES ONT DÉJÀ FAIT DEUX PÉTITIONS, VOUS SAVEZ!... FAUDRA VOUS DÉCIDER!

VOUS, ON NE VOUS A RIEN DEMANDÉ! VU?...
?
SILENCE!

DÉPÊCHEZ-VOUS!... J'AI HÂTE DE FILER D'ICI!...
MOI AUSSI, SERGENT! MOI AUSSI!... OÙ SONT LES CHEVAUX!...

IL N'Y A PAS DE CHEVAUX! VENEZ!
CIEL!... MAIS COMMENT COMPTEZ-VOUS NOUS SORTIR DE CE CAMP?...

EN BALLON!
EN... EN QUOI?...
40A

EN BALLON!!... ÇA NE SIED GUÈRE À UN OFFICIER DE CAVALERIE!... CHEZ NOUS, ON NAÎT, ON VIT, ON MEURT À CHEVAL, SERGENT!... VOUS AURIEZ DÛ LE SAVOIR!... JE REFUSE DE VOUS SUIVRE!...
C'EST BON!... ALORS, RESTEZ ICI!...

MOI, JE RETOURNE CHEZ LES NÔTRES, REPRENDRE MA PLACE SUR DE BEAUX CHEVAUX SUR LESQUELS JE CHARGERAI L'ENNEMI, SABRE AU CLAIR ET POITRINE AU VENT!...
US

...ET PENDANT QUE MES AMIS S'ÉCROULERONT AUTOUR DE MOI, CRIBLÉS DE BALLES, COUVERTS DE FUMÉE, LA BOUCHE GRANDE OUVERTE ET LES DOIGTS DE PIED EN ÉVENTAIL, JE PENSERAI À CE MINABLE OFFICIER CROUPISSANT DANS LES GEÔLES SUDISTES, PARCE QU'IL A EU PEUR DE S'ÉVADER!
PEUR?... MOI? J'ARRIVE!

BON SANG! LE JOUR VA BIENTÔT SE LEVER, ET ILS NE SONT PAS ENCORE DE RETOUR!...

!
BLUTCH! BLUTCH!
40B.

?!
ATTENTION AU DÉCOLLAGE!

ALEERTE! LE PRISONNIER S'ÉVADE!
PAW

BIGRE!... ON DIRAIT QUE LE VENT SE LÈVE!...
41A

BLUTCH! QU'EST-CE QUE VOUS ATTENDEZ POUR PRENDRE DE LA HAUTEUR, TRIPLE IDIOT!!?

VOILÀ! VOILÀ! DU CALME, QUOI! JE NE SAIS PAS TOUT FAIRE À LA FOIS!... ÇA IRA COMME ÇA?...
NOON!

PLUS HAUT! PLUS HAUT!
HA? BON!
41B.

MON GÉNÉRAL, LE PRISONNIER S'EST...
JE SAIS!

CELA FAIT PLUS D'UNE HEURE QUE JE MANGE MON BÂILLON MORCEAU PAR MORCEAU POUR VOUS LE DIRE, IMBÉCILE!

PLUS HAUT! ENCORE PLUS HAUT!

!

QU'EST-CE QUE VOUS ATTENDEZ POUR LES ABATTRE?!.. QUE JE LE FASSE MOI-MÊME?!...
42A

?
BLAF

REGARDEZ, MON LIEUTENANT!

ILS NE S'ÉCHAPPERONT PAS!

PLUS HAUT, BLUTCH! PLUS HAAUUT!...
J'AI JETÉ TOUT CE QUE JE POUVAIS, SERGENT! LES SACS DE SABLE, MA CASQUETTE, MON UNIFORME ET MES BOTTES!... QUE VOULEZ-VOUS QUE JE JETTE ENCORE?...
42B

FEU! FEU!
CHAARGEEEZ!
OUAAAAAH
43A

NOUS SOMMES PASSÉS! NOUS SOMMES PASSÉS! SAUVÉS!

CHEZ LES NORDISTES...
ILS ONT RÉUSSI, MON COLONEL!... ILS ONT RÉUSSI!...
ILS SONT FOUS, MAIS COURAGEUX!

IL ÉTAIT TEMPS!... POUR UN PEU, IL M'AURAIT ORDONNÉ DE LAISSER TOMBER LA NACELLE ET MOI AVEC!...

BANG
?!
?!
43B

KRAAAAK
BRANCARDIERS! BRANCARDIERS!

DES PELLES!... AMENEZ DES PELLES!

... ET LE COLONEL?...
ON CREUSE TOUJOURS!
44A

DEUX JOURS PLUS TARD...
FAAARFEEZ!
VOUS NE M'ÔTEREZ PAS DE L'IDÉE QUE LE FAIT DE NOUS ENVOYER DANS CET ÉTAT, CHARGER EN PREMIÈRE LIGNE, NE CACHE PAS QUELQUE CHOSE!
POUR UNE FOIS, JE SUIS BIEN OBLIGÉ DE RECONNAÎTRE QUE VOUS N'AVEZ PAS ENTIÈREMENT TORT, BLUTCH!...
US
Fin
CAUVIN - LAMBIL
DOCUMENTATION: DEVOS

Chaque semaine, c'est la même histoire :
ils se battent... pour lire SPIROU !

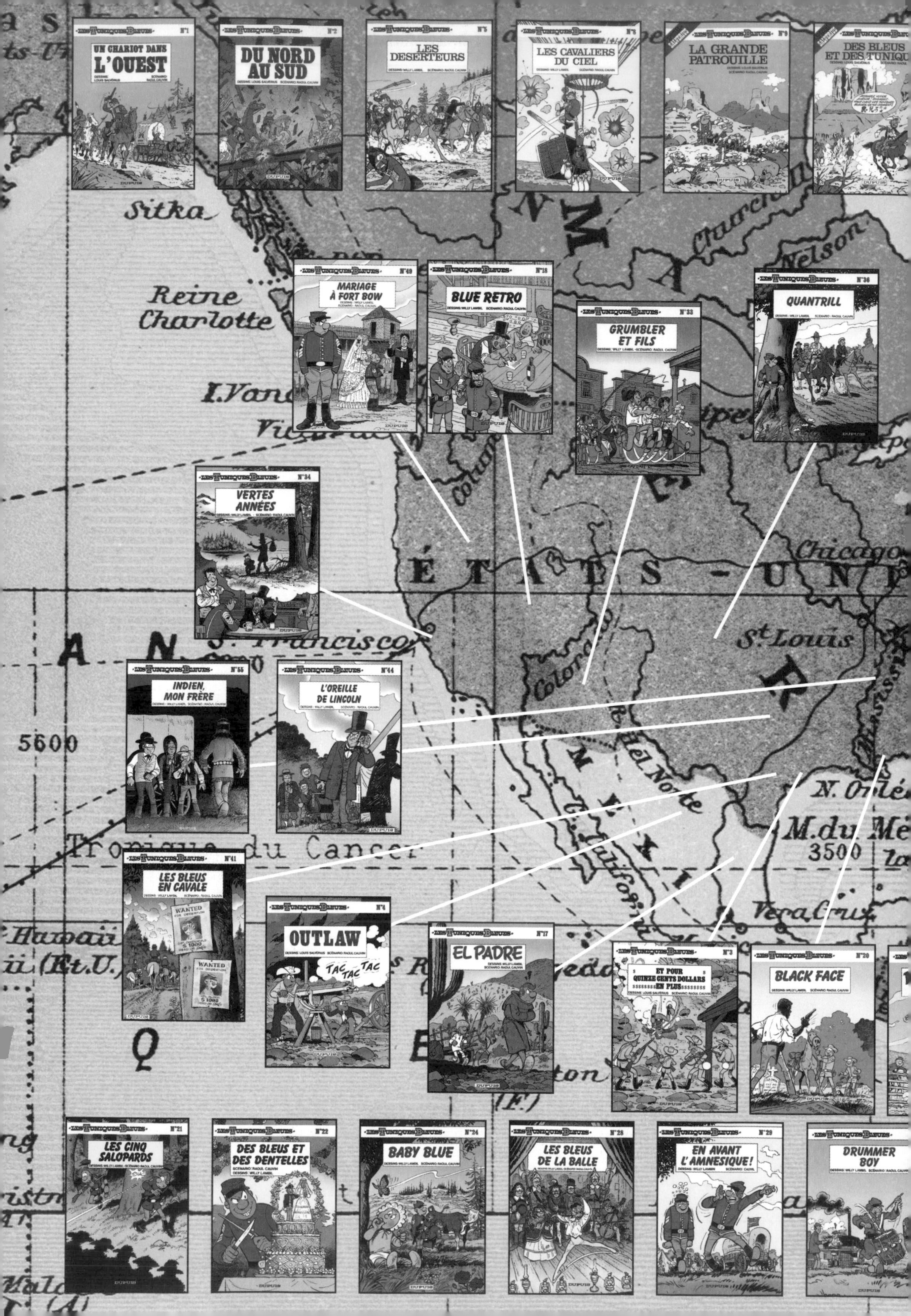

LES TUNIQUES BLEUES N°1
UN CHARIOT DANS L'OUEST
LES TUNIQUES BLEUES N°2
DU NORD AU SUD
LES TUNIQUES BLEUES N°5
LES DESERTEURS
LES TUNIQUES BLEUES N°8
LES CAVALIERS DU CIEL
LES TUNIQUES BLEUES N°9
LA GRANDE PATROUILLE
DES BLEUS ET DES TUNIQU
Sitka
Reine Charlotte
LES TUNIQUES BLEUES N°49
MARIAGE À FORT BOW
LES TUNIQUES BLEUES N°18
BLUE RETRO
LES TUNIQUES BLEUES N°33
GRUMBLER ET FILS
LES TUNIQUES BLEUES N°36
QUANTRILL
Nelson
LES TUNIQUES BLEUES N°34
VERTES ANNÉES
Chicago
ÉTATS-UN
St Louis
S. Francisco
Colorado
LES TUNIQUES BLEUES N°55
INDIEN, MON FRÈRE
LES TUNIQUES BLEUES N°44
L'OREILLE DE LINCOLN
5600
Rio del Norte
N. Orlé
M.du Mé
3500
Tropique du Cancer
LES TUNIQUES BLEUES N°41
LES BLEUS EN CAVALE
WANTED
$1000
Veracruz
LES TUNIQUES BLEUES N°4
OUTLAW
TAC TAC TAC
LES TUNIQUES BLEUES N°17
EL PADRE
LES TUNIQUES BLEUES N°3
ET POUR QUINZE CENTS DOLLARS EN PLUS
LES TUNIQUES BLEUES N°20
BLACK FACE
LES TUNIQUES BLEUES N°21
LES CINQ SALOPARDS
LES TUNIQUES BLEUES N°22
DES BLEUS ET DES DENTELLES
LES TUNIQUES BLEUES N°24
BABY BLUE
LES TUNIQUES BLEUES N°28
LES BLEUS DE LA BALLE
LES TUNIQUES BLEUES N°29
EN AVANT L'AMNESIQUE!
LES TUNIQUES BLEUES
DRUMMER BOY
DUPUIS